QUÉBEC

À l'ombre d'un château

In the Shadow of a Château

Les Éditions de La Galerie Le Chien D'Or Inc.

Québec

Dépôt légal 1989

Bibliothèque nationale du Canada
Bibliothèque nationale du Québec

© Tous droits réservés

ISBN 2-9801716-0-3

Droit de traduction, d'adaptation et de
reproduction par quelque procédé que ce soit,
réservé pour tous pays.

Imprimé au Canada

La Galerie Le Chien D'Or Inc. Editions

Quebec

Copyright 1989

National Canadian Library
National Quebec Library

Copyrights reserved

ISBN 2-9801716-0-3

No part of this work covered by the copyrights
hereon may be reproduced or copied
in any form or by any means.

Printed in Canada

RÉMI CLARK

QUÉBEC

À l'ombre d'un château
In the Shadow of a Château

Présentation
de Paul Brien

Text
by Paul Brien

Les Éditions de
La Galerie Le Chien D'Or Inc.

8, rue du Fort, Québec, G1R 4M1

Maître d'œuvre:	Les Éditions de La Galerie Le Chien D'Or Inc.,Québec		**Produced by:**	«La Galerie Le Chien D'Or Inc.» Editions, Quebec
Illustration:	Rémi Clark		**Illustrated by:**	Rémi Clark
Présentation:	Paul Brien		**Text:**	Paul Brien
Composition:	Imprimerie La Renaissance Inc.,Québec		**Composition:**	Imprimerie La Renaissance Inc., Quebec
Sélection des couleurs:	Point de Trame Inc., Québec		**Colour Selection:**	Point de Trame Inc., Quebec
Impression:	Imprimerie La Renaissance Inc.,Québec		**Printed by:**	Imprimerie La Renaissance Inc., Quebec
Production:	Serge Tremblay pour Les Éditions de La Galerie Le Chien D'Or Inc., Québec		**Produced by:**	Serge Tremblay for «La Galerie Le Chien D'Or Inc.» Editions, Quebec
Photographies:	Serge Tremblay		**Photographer:**	Serge Tremblay
Conception graphique:	Norman Dupuis		**Graphics:**	Norman Dupuis
Collaboration:	Lauréat H. Veilleux André Veilleux Jean-Claude Veilleux Sylvie Pellerin Francine Hamel		**In Collaboration with:**	Lauréat H. Veilleux André Veilleux Jean-Claude Veilleux Sylvie Pellerin Francine Hamel
Traduction anglaise:	Traduction Rapide Enr., Montréal		**English Translation:**	Traduction Rapide Enr.

Cette édition a été publiée à mille exemplaires.

De ce nombre: les exemplaires épreuve d'artiste, numérotés de I à X, ont été donnés à l'artiste et aux différents collaborateurs.

Les exemplaires hors commerce, dont les numéros vont de 11 à 75, ont été réservés pour les propriétaires des tableaux reproduits dans le livre.

This edition was published in one thousand copies.

Among these: The copies numbered from I to X have been handed to the Artist and to different collaborators.

Consequently, the copies not for commercial use whose numbers vary from 11 to 75 were given to the owners of the paintings reproduced in this book.

La couverture du livre:	*À l'ombre d'un Château* Huile sur toile 36 x 48		**Book Cover:**	*In the Shadow of a Château* Oil on canvas 36 x 48
Collection:	Madame Jacynthe Ménard et Monsieur René Baillargeon		**Collection:**	Madame Jacynthe Ménard and Monsieur René Baillargeon

Remerciements

à Lauréat H. Veilleux, propriétaire de La Galerie Le Chien D'or Inc. pour son support inconditionnel;

à Paul Brien, maître reconnu et respecté du milieu des arts visuels de Québec, pour avoir accepté d'écrire le texte de cette monographie;

à mes collaborateurs et amis: Jean-Claude Veilleux, André Veilleux, Serge Tremblay, St-Gilles et Michel Vallières;

enfin, à Denis Ducharme, à qui je dédie ce livre parce que la vie ne lui a pas laissé le temps d'y mettre la main, mais assez d'idées pour l'inspirer.

Rémi Clark

Acknowledgments

To Lauréat H. Veilleux, owner of «La Galerie Le Chien D'Or Inc.» for his unconditional support;

To Paul Brien, well-known and highly respected master of the visual arts «milieu» of Quebec, for having accepted to write the text of this monograph;

To my collaborators and friends: Jean-Claude Veilleux, André Veilleux, Serge Tremblay, St-Gilles and Michel Vallières;

Last but not least, to Denis Ducharme, to whom this book is dedicated because, though life did not give him the opportunity to see it through, it gave him enough ideas to be its inspiration.

Rémi Clark

Liminaire

Nous sommes à la fin d'octobre 1986...

Je reviens d'un séjour de près de trois mois en France où j'ai terminé une recherche et créé des tableaux qui illustrent la légende québécoise et ses origines.

Ce travail m'a conduit sur les routes de nos ancêtres, dans cette partie de la côte française baignée par l'Atlantique, de La Rochelle à Honfleur, en passant par Saintes, Coulon, Nantes, Quimper, Tréguier, Saint-Malo et Saint-Michel.

Toutes plus belles les unes que les autres, ces villes de France, imprégnées de charme et d'histoire, ne m'ont pourtant jamais procuré le sentiment d'appartenance et de bien-être que je ressens en ce moment dans les rues de Québec.

J'aime bien, lorsque je n'ai pas de tableau à livrer à La Galerie Le Chien D'Or, faire à pied le trajet qui, de chez moi, dans le quartier Montcalm, me conduit sur la Grande-Allée, sous la Porte Saint-Louis, à la Place d'Armes.

Cette promenade m'a manqué, après trois mois d'absence.

Foreword

Late October, 1986...

I've just returned from nearly three months in France, where I finished some research and produced a series of paintings illustrating the legends of Quebec and its origins.

My work took me down roads travelled by our ancestors, along that part of the French coast washed by the Atlantic, from La Rochelle to Honfleur, by way of Coulon, Nantes, Quimper, Treguier, Saint-Malo and Saint-Michel.

Although those lovely little French towns were charming and steeped in history, they never made me feel as much at home as I do in the narrow streets of Quebec.

One of the things I like to do, when I don't have any paintings to deliver to the « Galerie Le Chien D'Or» is take a walk from my home in the Montcalm area to the Grande-Allée, through the Porte Saint-Louis to the Place D'Armes. I missed that walk during my three months abroad.

It's drizzling this morning, but I find the day all the more lovely for it. Rain shimmers against the stones, reflecting the rich and subtle colours of the park around me. The wind is blowing off the water. It smells good and doesn't

Aujourd'hui la matinée est pluvieuse, certains diraient moche, mais pour moi c'est tout simplement plus beau. La pluie qui glisse sur la pierre étale toute la richesse et la subtilité des couleurs du parc qui m'entoure. Le vent souffle: c'est le vent du large, ça sent bon et ça n'empêche pas les gens de vivre leur quotidien. C'est vrai, à Québec le climat est excessif mais le Québécois a appris à l'aimer ainsi. Les scènes nous paraissent toujours belles et vivantes. Sous la neige ou sous la pluie, elles s'animent du mouvement des taches jaunes, rouges ou bleues des tuques, des calèches ou des parapluies.

Soudain, un trou de lumière: *«Le temps va se clairer!»*

Je prends ensuite la rue Haldimand. Ce nouveau soleil me donne le goût de poursuivre ma route et de faire une pause dans le petit Jardin des Gouverneurs, à l'ombre du Château. De là, on peut embrasser du regard la côte de Lévis, la pointe de Lauzon et par-dessus l'île d'Orléans, dans le lointain brumeux, le profil bleuté des montagnes de Charlevoix.

Je m'assieds près de l'Obélisque, seul monument au monde érigé en l'honneur du vainqueur et du vaincu: si Félix Leclerc l'avait su, il en aurait certainement fait une chanson! La terrasse est belle sous la pluie! Consolation! Le soleil l'a couverte de gens aux habits multicolores. Ils admirent des oies blanches qui, au-dessus des grandes tours du Château Fronte-

prevent people from going about their business. Yes, Quebec City does have harsh weather, but Quebecers have learned to live with it and even love it. The scenery is always beautiful and vibrant, and, when it rains or snows, it comes alive with spots of yellow, red and blue across the tuques, calèches, umbrellas...

Suddenly, a little light shines through: *«Looks like it's clearing up!»*

I turn onto Haldimand. This bit of sunshine makes me feel like continuing on my way and stopping for a while in the little «Jardin des Gouverneurs» that stands in the shadow of the Château.

From there, you can see Lévis and Lauzon across the river, and in the foggy distance, the Ile d'Orléans, the blue tinged outline of the Charlevoix mountains.

I sit down near the Obelisk, the only monument in the world to honour both victor and vanquished. If that had been known to Félix Leclerc, he would surely have written a song about it. The terrace is so pretty in the rain! As a consolation, the sun had covered it with people in colourful clothing. They watch in admiration as the snow geese fly south, passing over the great turrets ot the Château Frontenac. What a magnificent scene for an artist!

But enough dawdling. Mr. Veilleux is waiting for me. It's been a month and a half since

nac, émigrent vers le sud. Quelle belle image à croquer sur le vif!

Assez flâné! Monsieur Veilleux m'attend. Depuis un mois et demi qu'il a rapporté mes toiles de France, je suis impatient de les revoir bien montées dans leur encadrement.

Je reprends ma route sous la porte cochère du Château, puis j'arrive à la Place d'Armes. Un vieux peintre y trace sa dernière toile avant l'hiver. Il a la main sûre, le trait précis. Je le vois pour la première fois. Ce n'est sûrement pas un amateur; sa composition est superbe, même s'il a choisi le sujet le plus peint en Amérique du Nord.

Il m'a aperçu du coin de l'œil.

«*Vous aimez la peinture*, demande-t-il?
– *Oui!*
– *Vous en faites?*
– *Un peu.*

Et il poursuit, nostalgique:

– *Québec n'est plus ce qu'elle était. Tous les peintres l'ont interprétée cent fois. Elle n'a plus de secret pour nous, mais les Américains aiment bien ça.*»

La conversation se termine là. Je le quitte sans commentaire, mais en désaccord total avec lui. J'entre à La Galerie Le Chien

he brought my paintings back from France and I'm anxious to see them properly framed and hung.

I pass through the main gate of the Château and reach the Place d'Armes. An elderly painter is working on his last canvas before winter. His hand is steady and his lines precise. I've never seen him before. He's definitely no amateur. His composition is superb, even if he's chosen the most frequently painted scene in North America.

He spots me out of the corner of his eye.

«*Do you like paintings?* he asks.
– *Yes!*
– *Do you paint?*
– *A little.*

He goes on nostalgically:

– *Quebec isn't the same anymore. Every painter has painted it a hundred times. It holds no secrets for us, but the Americans love it.*»

The conversation ends there. I leave him without further comment but in utter disagreement with what he has said. I enter the Galerie Le Chien D'Or and I am so lost in my thoughts that Mr. Veilleux is intrigued. He comes up to me, saying:

«*Good day, young man. And what might be the cause of such meditation?*»

D'Or et suis à ce point songeur que Monsieur Veilleux, intrigué, m'aborde:

«Bonjour jeune homme! Qu'est-ce qui ne va pas et te rend si songeur?»

Spontanément et d'un air décidé, je lui réponds:

«Je projette de faire une série de tableaux sur Québec pour prouver qu'elle est la plus belle ville à peindre et que les artistes qui s'en sont inspirés n'ont réalisé qu'une infime partie des scènes qu'elle offre.»

Monsieur Veilleux me tend la main et me répond, d'un air aussi décidé que moi:

«J'achète!»

Je me suis mis à la tâche en novembre 1986, m'inspirant presque uniquement de sujets de Québec, de ses saisons et du quotidien des gens qui l'habitent. Au cours de ces trois années, j'ai exécuté plus de cent tableaux. La sélection présentée dans ce livre provient d'une soixantaine de ces toiles que des amateurs d'art ont choisies.

Dans ces quelques lignes, je n'ai pu tout dire, car on ne finira jamais de s'inspirer de Québec, la plus belle ville en Amérique du Nord.

Rémi Clark

Quite suddenly, and with a decisive flourish, I reply: *«I'm planning to paint a series of pictures of Quebec City to prove that it is the most beautiful city in the world to paint and that, to date, artists have only painted an infinitesimal portion of the scenes it has to offer!»*

Mr. Veilleux shakes my hand and says in a tone as decided as my own:

«I'm buying!»

I set to work in November 1986, inspired, almost to the exclusion of anything else, by scenes of the city, its seasons and the daily lives of its inhabitants. During the next three years I completed over 100 canvases. The pictures that appear in this book are taken from 60 canvases selected by art lovers.

These few lines tell only a small part of the tale, as Quebec, the most beautiful city in North America, is a constant source of inspiration.

Rémi Clark

Avant-dire

J'ai connu Rémi Clark il y a près de quinze ans, au hasard de rencontres avec des peintres que je fréquentais. Nous nous sommes souvent revus par la suite, du temps où je partageais avec St-Gilles, peintre paysagiste, l'atelier de Cataracoui. Cet atelier fait partie du Domaine Cataracoui de Sillery, bâti, aménagé et habité jadis par le peintre Tudor-Hart. St-Gilles et moi y donnions des cours d'initiation au dessin et à la peinture.

Au cours de mes conversations avec Rémi, qui ne suivait pas mes cours, je tentais de répondre de mon mieux aux nombreuses questions qu'il me posait, mais même avec une expérience de trente ans, je ne me sentais pas vraiment assez compétent pour lui dire: «Vous pourriez faire ceci ou vous devriez faire cela».

Par la suite, j'ai pu voir quelques-unes de ses toiles, sur lesquelles il utilisait la peinture acrylique, qu'il a délaissée depuis. L'originalité des thèmes qu'il proposait, la sobriété et la vigueur de son dessin, la force de ses couleurs, m'incitèrent à penser qu'il s'agissait d'œuvres d'une nouvelle génération de peintres paysagistes à Québec.

Nouvelle génération? On doit reconnaître que tout ce qui se nomme classicisme, impressionnisme, abstractionnisme ou cubisme est plutôt le lien

Prologue

I met Rémi Clark nearly fifteen years ago, by a mere chance meeting, with artists that I associated with at the time. From then on, we often got together. At that time I shared the Cataracoui studio with St-Gilles, a landscape artist. This studio is part of the Cataracoui Domain of Sillery, built, furnished and inhabited at that period in time by the painter Tudor-Hart. St-Gilles and I taught initiation to drawing and painting courses there.

Rémi did not take our courses but I had many conversations with him. During these conversations with Rémi, I tried to the best of my knowledge to answer his many questions. But even with thirty years experience, I did not feel competent enough to say «You should do this or you should do that».

Later, I saw some of his paintings on which he had used acrylic, which he later abandoned. The originality of the themes that he proposed, the sobriety and vigor in his drawings and the sheer force of colour, incited me to think that this was the creation of a new generation of landscape artists in Quebec.

New generation? One must recognize that all that is called classicism, impressionism, abstractionism or cubism is really the bond shared by artists of a period, which influenced or debated one or the other. Right or wrong, I believe that art is influenced

entre peintres d'une époque, s'influençant les uns les autres ou se contestant. À tort ou à raison, je crois que les arts évoluent par générations successives d'artistes. L'impressionnisme, alors encore en vogue à Québec, était invité à céder le pas à cette vague nouvelle que j'osais appeler «illustrationnisme».

J'avais le sentiment que Rémi Clark présentait une vision prometteuse de l'art. J'en suis devenu convaincu lorsque, après une absence de plus de cinq ans du milieu de la peinture, j'ai vu ses œuvres ultérieures.

Aujourd'hui, j'ai sous les yeux des toiles récentes, peintes à l'huile, qui témoignent du progrès accompli. Elles nous font voir Québec sous un angle différent: l'attitude des gens témoigne de leur vie quotidienne à l'ombre du Château Frontenac. Grâce à sa technique originale, Rémi Clark exploite intensément des éléments visuels qui ont du caractère et il campe des personnages qui jouent leur rôle comme sur la scène d'un théâtre.

Ensemble, regardons ses toiles.

Paul Brien
Québec, le 29 mai 1989.

by successive generations of artists. Impressionism, although then still quite popular in Quebec, was invited to yield to this new wave that I dare to call «illustrationism».

I had the feeling that Rémi Clark had a vision of art that was quite promising. I became convinced of this when I later saw his work after an absence of over five years from the art scene.

Today I see his recent works as proof of his personal progress over the years. In these paintings we are shown Quebec from a different angle. The way the people are posed reveals the daily lifestyle of those living in the shadow of the Château Frontenac. Thanks to his original technique, Rémi Clark has intensely exploited the visual elements that had character and grouped persons playing their roles as if on the stage of a theater.

Let us look at his paintings together.

Paul Brien
Quebec, May 29th, 1989.

Être artiste

Pratiquer un art, c'est rendre un culte à la Beauté. Pour y trouver son épanouissement, il faut posséder des aptitudes innées.

L'être humain cherche naturellement l'équilibre de son esprit dans le Vrai et le Bien. Dès les premières sensations qu'il éprouve, il développe une tendance, un penchant, qui deviennent une sorte d'appel à admirer le Beau.

Le véritable artiste, le seul qui soit apte à peindre des œuvres de valeur, a éprouvé dès son jeune âge des sensations agréables qui l'ont marqué. Instinctivement, il a transformé son âme en une sorte de creuset où viendra plus tard se fondre l'alliage de sa formation, de son travail et de son génie.

C'était l'enfant qui coloriait sans se lasser, l'adolescent qui recherchait de belles images et de belles gravures à imiter, l'écolier dans la lune qui remplissait les pages de ses livres de classe de nombreux croquis.

Being an Artist

To practise an art is to worship beauty. In order to rejoice in it, one must be born an artist.

The human being naturally searches for the well-being of his spirit in what is true and right. From the very first sensation he develops a tendency, an inclination which becomes a sort of calling to taste beauty and derive great pleasure from it.

The true artist, the only one able to paint works of value, felt at a young age pleasant sensations that have marked him. Instinctively, he has transformed his spirit into some kind of melting pot from which he will later blend his formation, his work and his genius.

This was the child who coloured without getting bored, the youth who searched for beautiful images and beautiful engravings to imitate, the student constantly daydreaming who covered his school books with numerous drawings.

Il fallait le voir dessiner sur le tableau de sa classe, dans un paysage enneigé, le *Joyeux Noël et Bonne et Heureuse Année!* «Il est fort en dessin», disaient ses camarades. C'était toujours à lui qu'on demandait de tout décorer: la vitrine du marchand, la scène du théâtre... Bref, c'était vers lui qu'on se tournait chaque fois qu'il fallait crayonner ou peindre. Et lui acceptait toujours, car c'était ce qui lui plaisait le plus au monde.

Plus tard, le Beau continuera de l'attirer et sa quête l'obligera à orienter vers ce but ultime non seulement sa perception du monde, mais aussi tout son travail et toute son expérience.

Sa vocation est merveilleuse et difficile. Elle exige de lui une grande patience et un jugement éclairé. Il lui faudra savoir comment s'y prendre pour réaliser sur son chevalet une œuvre plus belle, toujours plus belle que la précédente, et évaluer son talent ainsi que ses aptitudes créatrices à leur juste valeur.

Les jours passeront, le succès suivra. On respectera son œuvre, on l'admirera. Son exemple encouragera d'autres jeunes à pren-

One had to see him draw on the class blackboard, a snowy landscape along with the «Merry Christmas and Happy New Year!» «He is gifted in drawing!» his school chums said. He was always called upon to decorate everything: a store window display, the stage of a theater... In summation, it was towards him that one turned every time that colouring or painting was needed. He always accepted, because that was what pleased him the most in the world.

Later in life, beautiful things continued to attract him and his quest forced him towards the ultimate goal, not only in his perception of the world, but also in all his work and all that he has learned through personal experience.

His vocation is both marvellous and difficult and requires great patience and a clear judgment from him. He will have to learn how to create on his easel more beautiful work, always more beautiful than the preceding one, and to evaluate his creative talent and aptitudes at their just value.

The days passed and success followed. One respected his work and he was admired. His example encouraged younger painters to follow in his footsteps and to say as in the im-

dre le pas et à dire comme dans l'immortel chant du Régiment de Sambre et Meuse:

«Nous entrerons dans la carrière
Quand nos aînés n'y seront plus.»

Rémi Clark a choisi cette voie il y a près de vingt ans. Le dessin et la peinture ont exercé sur lui un attrait irrésistible.

La formation de Rémi Clark

Né à Québec en 1944, dans le quartier Limoilou, Rémi Clark vécut son enfance et son adolescence dans la paroisse de Saint-François-d'Assise et y commença ses études. De 1950 à 1959, il fréquenta l'école des garçons de sa paroisse. L'enseignement public se donnait à l'école paroissiale jusqu'à la neuvième année. Dès sa première année de fréquentation scolaire, à l'âge de six ans, lui qui déjà avait un goût particulier pour les crayons de couleur, découvrit un endroit magique qu'il fréquenta assidûment: la procure de l'école. Laissons-le raconter:

«La Procure, c'est là où se vendaient les beaux crayons de couleur, les beaux cartons et tout ce que je désirais pour dessiner et bricoler. J'y ai passé des heures merveilleuses, comme un bricoleur dans une quincaillerie.»

mortal chant from the «Régiment de Sambre et Meuse»:

«Nous entrerons dans la carrière
«We will enter the career
Quand nos aînés n'y seront plus.»
When our Elders will no longer be there.»

Rémi Clark chose this way of life nearly twenty years ago. Drawing and painting have held an irresistible attraction over him.

The making of Rémi Clark

Born in Quebec City in 1944, in the Limoilou district, Rémi Clark lived his childhood and adolescent life in the parish of Saint-François-d'Assise where he began his education. From 1950 to 1959 he attended the parish school for boys. Public teaching was given at the parish school up to ninth grade. From the very beginning in grade one, at the age of six, Rémi Clark, who already had quite a liking for coloured crayons, discovered a magic place that received his constant attention: the school supply store. Let him tell us all about it.

«La Procure (the school supply store) was where we could buy the beautiful coloured crayons, the cardboard and all the other items I loved so much and needed for my drawings. I spent many wonderful hours there, like a handy-man in a hardware store.»

Son professeur de première année, le révérend Frère Bertin, un artiste-né, le remarqua dès les premiers jours de classe. Il lui réserva une attention toute spéciale et l'exerça à dessiner. Quand Rémi atteignit l'âge de neuf ans, le révérend Frère Elzéar, lui aussi artiste peintre, l'initia à la théorie de la couleur.

Au terme de ses études secondaires, Rémi Clark s'inscrivit aux cours de l'école de technologie de Québec, où dominait l'enseignement de la géométrie descriptive appliquée aux objets projetés dans l'espace. Il y suivit des cours de modèlerie, de fonderie, d'électronique dirigée vers les communications. Enfin, il acquit à cette institution l'ensemble des connaissances qui étaient nécessaires aux techniciens que réclamait l'essor industriel du Québec de la Révolution tranquille.

Ce fut pour lui un lieu propice pour développer ses connaissances du dessin et se préparer à trouver un emploi rémunérateur. Il occupait ses loisirs à crayonner et préparait son avenir de peintre à temps plein.

Il obtint un diplôme de technicien après trois ans. Une première étape était franchie.

His first grade teacher, Reverend Brother Bertin, a born artist, noticed him from his very first days in class. He paid special attention to him and exercised his drawing. When Rémi was nine years old, Reverend Brother Elzéar, also an artist, initiated him to the theory of colour.

At the end of his secondary studies, Rémi Clark enrolled in l'Institut de technologie de Québec, where he studied descriptive geometry applied to objects in space. He also took courses in moulding and electro-technique casting. In short, he acquired at this institution the general knowledge necessary to technicians who were in demand for the soaring industrial Quebec of the quiet Revolution.

It was for him a proper place to develop his knowledge in drawing and to prepare him in the search of a good paying position. His leisure time was spent sketching and preparing his future as a full-time painter.

Three years later, he received his diploma. A first step had been concluded.

Pendant huit ans, il occupa différents postes importants auprès de compagnies spécialisées dans les communications électroniques. Durant cette période, il occupa ses temps libres à peindre et à dessiner. Un jour, son goût de l'Art l'incita à devenir peintre à temps plein.

Artiste à temps plein

Le moment était venu pour lui d'établir un bilan de ses connaissances du dessin et de la peinture. Conscient des difficultés d'atteindre le but qu'il s'était fixé, il prit les moyens nécessaires pour y arriver et s'y appliqua avec passion. Assidu dans son atelier, attentif dans son observation de la nature, il fit de nombreux croquis, se remettant continuellement en question pour trouver une expression personnelle. Son imagination créatrice lui dictait d'éviter de peindre «à la manière de» et de voir, collée à son œuvre, l'étiquette «peint comme Untel». Il était convaincu qu'un peintre ne doit puiser son inspiration qu'en lui-même. Avec discernement, il a décidé de peindre «à la manière de Rémi Clark».

During a period of eight years, he worked in several front line positions for companies specialized in electronic communications. Within this period, his leisure hours were spent sketching and drawing. One day, his love of art incited him to become a full-time painter.

Full-time painter

The moment had come for him to look deep within himself and make an evaluation of what he had learned about drawing and painting. Aware of the requirements of his goal, he took the necessary measures to reach it and applied himself with a passion. Untiring efforts in his workroom, constant attention in observing nature, a multitude of sketches, constantly questioning himself and trying to find his own style. His creativity prevented him from painting «like so and so» as he did not want his work to be labelled «painted like so and so». He had the conviction that a painter must draw his inspiration from within. Using perception, he decided to paint «Rémi Clark's way».

Mais, dira-t-on, l'art de peindre s'apprend. Eh bien oui, l'art comme tel s'apprend. Par contre le culte de la Beauté est un don. Le métier de peintre s'acquiert avec l'enseignement, l'expérience, l'effort et le travail. Les outils du dessin et de la peinture, la matière utilisée ont un langage qu'il faut bien connaître; la composition a une syntaxe que l'on doit maîtriser: ils ne sont que les serviteurs d'une imagination et d'un goût cultivés.

Ces bases du métier, Rémi les a acquises en suivant les cours de Bruno Côté et en fréquentant des peintres tels Arthur Genest et Mario Mauro, tous peintres paysagistes, ou au fil des conversations qu'occasionnaient leurs rencontres.

Ses œuvres commencèrent à recevoir un bon accueil. Elles présentaient une originalité et une grande simplicité de forme et de couleurs. Elles offraient des thèmes où les attitudes simples des personnages apportaient un message de paix et de détente. Elles avaient une allure spontanée qui s'apparentait à l'illustration.

Le peintre y a trouvé sa voie. Le caractère personnel de ses œuvres s'affirme clairement: un tableau de Rémi Clark se reconnaît sans sa signature.

Some of you will say one can learn how to paint. Well yes, the art as such can be learned. However, the creed to beauty is a gift. The painters trade is learned through teaching, experience, work and effort. The tools used to draw and paint and the materials used have a language of their own that one must know very well and the syntax of composition must be mastered. They are but the servants of a cultivated taste and imagination.

Clark acquired the basics of the trade by taking courses given by Bruno Côté and by keeping company with painters such as Arthur Genest and Mario Mauro, all landscape artists, and benefited through conversations that went on between them.

His work was beginning to be well received. His paintings portrayed originality and a great simplicity both in shape and colour. They had superb composition where the simple ways of the persons painted brought a message of peace and relaxation. There was so much spontaneity portrayed.

The painter has found his way of life. The personal style of his work is clearly confirmed: One can recognize a Rémi Clark painting without his signature.

Le style de Rémi Clark

Entre 1940 et 1950, l'enseignement du dessin dans les écoles des Beaux-Arts du Québec a perdu de son prestige. L'art contemporain, l'abstractionnisme, le cubisme et l'automatisme prirent le haut du pavé. La génération nouvelle désirait du changement; la publication du *Refus global* lui donna un magistral coup de pouce. On descendit les plâtres à la cave, dans la crypte, devrait-on dire. On inventa des programmes de formation auxquels une génération servirait de cobaye.

Alors surgit une querelle entre Anciens et Modernes. Querelle à sens unique cependant, car l'époque du classicisme de Rosa Bonheur et de Delacroix, la génération de Clarence Gagnon et de Suzor-Côté et celle du Groupe des Sept s'éteignaient dans la gloire et l'admiration, tout en allant se charger de poussière dans les musées et les grandes collections. Les courants internationaux qui influençaient notre culture avaient déjà répandu chez nous la semence de l'Art contemporain et de nombreux genres d'expression visuelle.

Rémi Clark's style

Between 1940 and 1950, the teaching of drawing in the «écoles des Beaux-Arts du Québec» lost prestige. Contemporary art, abstractionism, cubicism and automatism became the fad. The new generation wanted to see new things. The publishing of *Refus global* gave it a helping hand.

The old styles were stored away in the vaults and new training programmes were invented for which a whole generation would serve as guinea-pigs.

A dispute loomed up between the Ancient and the Modern. However, it was a quarrel that would prove to be a one-way street, as the Classicism period of Rosa Bonheur and Delacroix, the generation of Clarence Gagnon and Suzor-Côté along with that of the «Group of Seven» went out in admiration and glory to museums and great collections where they became heavy with dust. The international current that had influenced our culture had already spilled out sowing the seed of contemporay Art with all kinds of visual expressions.

Durant cette évolution de la perception de la Beauté dans l'art de peindre, les vrais artistes n'eurent que la boussole de leur destin pour s'orienter. Les uns abandonnèrent le combat en dédiant leur talent à leur seul plaisir de peindre et en dédaignant de s'instruire; les autres, qui étaient la majorité, ont mis à profit leur propension naturelle à l'observation et à la curiosité. Savoir regarder, savoir discerner, ce sont déjà des moyens d'apprendre. Les sens du peintre ne lui suffisent pas s'il ne se pose constamment les questions où? quoi? quand? pourquoi? comment? Le peintre ne saura jamais trouver le Vrai sans cette clef magique de l'essence des choses. Sans elle, toute interprétation aboutira à l'absurde.

Bien analysée, l'essence des choses pourra se traduire en stylisation, en expression simplifiée du message que l'artiste a voulu projeter dans l'esprit du spectateur, en témoignage du respect qui lui est dû.

L'expérience vient alors soutenir l'exécution de l'œuvre que le peintre a imaginée et qui, sur son chevalet, progresse sans retouches inutiles. Toute œuvre témoigne du jugement de son auteur et de l'étendue de ses connaissances. Voilà bien une vérité de La Palice qu'en peignant il ne faut pas oublier.

During this evolution of the perception of beauty in the art of painting, the true artists had only the compass of destiny to find their way. Some gave up their fight, using their talent for their sole pleasure and scorned any form of teaching; the others, who were the majority, benefited from their natural inclination of observation and curiosity. Knowing how to observe, to distinguish, is in itself a way to learn. A painter's senses are not sufficient if he does not continually ask himself «where? what? when? why? how?» The painter will never find Reality without the master-key to the very essence of things. Without it, all interpretation can be nothing but absurd.

Correctly analysed, the very essence of things could be translated as style, a simplified expression of the message that the artist wanted to project to the spectator, a witness to the respect that is due to him.

Experience then comes along to support the execution of the work that the painter imagined and which, on his easel, progresses without unnecessary touches. All paintings bear witness of judgment by its author and display the extent of his knowledge. That is a truism from La Palice that one should never forget when painting.

La neige est lourde
Les glaçons s'en décrochent
Les gouttières deviennent sources
Les pavés ruisseaux.
Le soleil déploie ses efforts
 du printemps.

The snow has become heavy.
The icicles are starting to fall.
The eavesthroughs are
  overflowing.
The sidewalks are like streams.
The sun surges with
 a springtime effort.

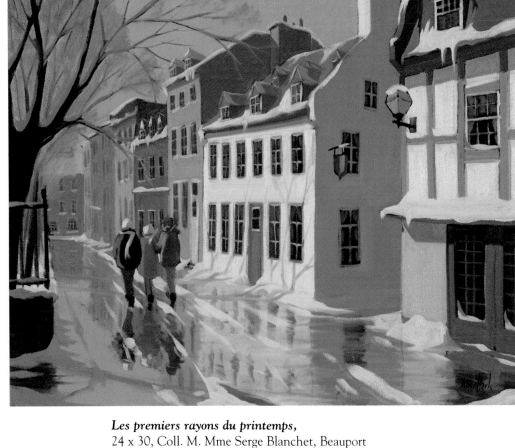

Les premiers rayons du printemps,
24 x 30, Coll. M. Mme Serge Blanchet, Beauport

25

À l'instar de ceux qui, dans cette époque d'incertitude, ont fréquenté les écoles des Beaux-Arts, Rémi Clark a acquis ses connaissances du dessin dans une école où l'enseignement, en plus d'inculquer la maîtrise des instruments, imposait des règles sévères sur l'expression des lignes, des ensembles et de la précision géométrique de la perspective.

C'est dans cette discipline qu'il a puisé ce qui caractérise son style. La rigueur du croquis, l'équilibre des masses, le réalisme des valeurs: autant de notions acquises au cours de ses études et qui l'identifient dans ses compositions. Il est ensuite à l'aise pour étendre la couleur qui convient à l'harmonie choisie.

Son imagination le pousse à présenter des thèmes, dans un décor réaliste où des personnages apportent un message de calme et de paix. Ses toiles illustrent avec clarté, simplicité et sobriété, la vie des gens d'ici dans leur milieu.

As was the fashion, there were those, who in these uncertain times, went to «les écoles des Beaux-Arts», whereas Rémi Clark acquired his knowledge of drawing in a school where instruction, as well as teaching how to master the instruments, imposed strict rules on the expression of lines, composition, and geometric perspective.

It is indeed under this discipline that he drew that which came to characterize his style. The strength of his sketches, the mass equilibrium, and a reality of values are but a few of the notions acquired during his studies which identify him in his compositions. Following this he can easily spread the colour which is in agreement with the chosen harmony.

His imagination forces him to present themes where the dramatis personae give a message of calm and peace. His paintings illustrate the way of life of the people here, in their own milieu, with clarity, simplicity and sobriety.

C'est essouflant,
  mais c'est le meilleur endroit
  pour voir
  Québec d'en dessous.

As tiring as it may be
  it's still the best place
  from which to see Quebec.

La Côte de la Montagne,
24 x 30, Coll. M. Mme Stanley Welch, Québec

Un beau soir d'hiver,
Tout bonnement.
Sans réservation.

How nice it is to enjoy
a beautiful winter evening.
Quietly.
Without reservation.

À la recherche d'un bon petit restaurant,
24 x 30, Coll. M. Mme Stanley Welch, Québec

Ce style et l'imagination qui l'alimente ouvrent de larges horizons à la carrière de Rémi Clark. Son art, son style le guideront sans doute vers des créations qui s'inspireront de la beauté de la région de Québec, de Charlevoix, du Saguenay et du Lac-Saint-Jean. Ces créations exigeront des heures et des heures de travail, mettant souvent à l'épreuve son désir de développer la culture artistique québécoise.

Les possibilités qui s'ouvrent à ce style sont nombreuses parce qu'il est le reflet de notre temps. Aujourd'hui, il faut voir rapidement, comprendre sur-le-champ. Tout message superflu devient oiseux et sans signification. Rationné, un réalisme épuré survivra en lorgnant l'illustration, tandis que le surréalisme élargira la place confortable qu'il a conquise dans la décoration.

Aussi brûlant que puisse être le désir d'admettre le fonctionnel dans la peinture, il ne faut tout de même pas, sous prétexte que l'Art c'est l'Art, pouvoir accrocher n'importe quoi n'importe où! Le triptyque de Jean-Paul Riopelle ne peut bien s'installer que dans les grands édifices modernes ou les musées. Les Paul-Émile Borduas et les Fernand Leduc ne sont pas de mise dans un salon de style Louis XV.

The style and imagination that nourish him open up horizons for Rémi Clark's career. His art and his style will no doubt guide him towards creations inspired from the beauty of Quebec Region, Charlevoix, the Saguenay and Lac-Saint-Jean. His creations require hours upon hours of work, often putting to test his desire to develop the quebecoise artistic culture.

The possibilities receptive to this style are numerous as it reflects our period in time. Today, one must quickly observe and instantly understand. All superfluous messages become trifles and without significance. Well rationed, a purged Realism will survive by glancing at the illustration, whereas Surrealism will broaden the place, comfortable in the fact that it highlights the decor.

As ardent as may be the desire to let in what is functional in painting, one must not however claim that art is art, and that anything can be hung just anywhere. Jean-Paul Riopelle's «Le triptyque» can only be hung in large modern buildings or museums. The Paul-Émile Borduas and the Fernand Leduc's are certainly not in their place in a Louis XV parlour.

Peindre Québec

Pour le peintre paysagiste, Québec est la ville aux offrandes généreuses de compositions naturellement ordonnées qui permettent de réaliser croquis, esquisses et toiles. Que de peintres ont dressé leur chevalet dans ses rues, croqué sur le vif ses vieilles maisons, ses édifices, dans le déroulement des quatre saisons! Que de professionnels, que d'apprentis et que de peintres du dimanche se sont lancés à la recherche du «beau coin» de ce Vieux-Québec qui les inspirerait! Aujourd'hui on constate qu'une page de l'histoire de l'Art vécue dans ses rues a été tournée; on a fait le «ménage», rafraîchi les vieilles choses, bâti du neuf dans du vieux.

Le parc Montmorency aligne toujours ses vieux canons, mais la côte de la Montagne, tant de fois peinte par les Iacurto, Shyrgens, Bruni, Pilot, Blier et bien d'autres artistes de l'impressionnisme se laisse enjamber par une porte, toute neuve, réplique du passé. Une partie du Vieux-Québec, blottie au pied de ses escaliers, a effacé le marché Finlay de sa carte. Le quai de la Canada Steamship Lines, quant à lui, s'est transformé en stationnement et en promenade avec une marquise d'acier qui masque la vue superbe de la côte de Lévis. Depuis belle

Painting Quebec

For the landscape-painter, Quebec is a city generous in subjects with naturally well-ordered compositions permitting the realization of sketches, outlines and paintings. So many painters have set up their easels on these streets, sketching on the spur of the moment the old homes, the buildings and the four seasons while they unfold! So many professionals, apprentices and amateurs go searching for the «best site» of this «Vieux-Québec» that inspires them. Today, it's as if a page was turned in the history of art. In the midst of these lively streets a general house cleaning has been done, old subjects have been refreshed and new ones have been added to the old.

Montmorency Park still has its old cannons lined up but the Côte de la Montagne, so many times painted by the Iacurto, Shyrgens, Bruni, Pilot, Blier and many others lets itself be straddled by a new gate, a replica of the past. A part of the Vieux-Québec, tucked away at the foot of the stairs, has erased Marché Finlay from its map. The Canada Steamship Lines dock has been transformed into a parking space and a promenade with steel awning, masking the superb view of Lévis shore. For ages now, the Saint-André schoon-

Le temps est à la giboulée,
Les bottes prennent l'eau.
Bientôt le printemps.

A sudden shower
that soaks through your boots.
Ah! Soon it will be spring!

La dernière bordée,
24 x 30, Coll. Rajotte, Leclerc, Associés, Brossard

Les voyeurs de mai.

Springtime pleasures!

Un bon signe de printemps,
24 x 30, Coll. Rajotte, Leclerc, Associés, Brossard

lurette, la goélette *Saint-André*, comme le bateau de croisière Montréal – Québec – Pointe-au-Pic – Saguenay, ne s'amarrent plus aux «têtes de nègres» des quais vermoulus. Le bassin Louise ne reçoit plus les caboteurs de la Clarke Steamship, le *Fort Ramsay* et ses «sister-ships». À l'automne, il n'y a plus d'éperlans, partant plus de pêcheurs. Le pictural d'hier est devenu le pittoresque d'aujourd'hui.

Il faut comprendre la nostalgie des peintres impressionnistes qui, pressés, pour ne pas dire bousculés par une nouvelle génération et désorientés par les rénovations, ont délaissé le Vieux-Québec et se sont dirigés vers la région de Charlevoix. Mais cet exode n'a pas entraîné Rémi Clark. Sa créativité lui suggéra plutôt d'exploiter une voie nouvelle, soit peindre Québec et ses gens.

Une conception originale a permis au peintre d'ajouter un élément intéressant à toute la peinture qui avait été faite jusque-là pour représenter Québec. Au lieu de s'en tenir à la seule beauté d'un site de Québec, il a ajouté des personnages qui, au premier plan, sous le soleil ou sous la pluie, en plein jour ou dans la nuit, nous parlent de leur quotidien.

er, as well as the boat cruises Montréal – Québec – Pointe-au-Pic–Saguenay, no longer anchor at «têtes de nègres» at the rotted docks. Bassin-Louise no longer welcomes the sailors from Clarke Steamships, Fort Ramsay and its sister-ships. In Autumn the smelts are gone and so are the fishermen. Yesterday's pictorial has become today's picturesque.

One must understand the nostalgia of the impressionist painters, pushed, if not shoved by a new generation and disoriented by the renovations, which abandoned «Le Vieux-Québec» and have gone towards the Charlevoix region. But this exodus has not taken Rémi Clark along with it. His creativity has instead suggested that he exploit a new route, that is, paint Quebec and its people.

This original way of seeing things has permitted the painter to add an interesting element to his new paintings portraying Quebec. Instead of depending on Quebec's beauty, he brought in people as foreground, beneath the sun or under the rain, in full daylight or in darkness, portraying for us their daily lives.

L'espace était inoccupé.
On projetait d'y aménager
* des espaces à bureaux.*
Moi, j'y aurais fait une
* école de danse.*
Qu'en pensez-vous?

In this unoccupied space
** once destinated for office space,**
I opened a dance studio!
What would you have done?

École de danse à Québec,
24 x 30, Coll. Mme Johane Paradis, arch., Québec

36

J'aime la pluie.
Elle double les harmonies.
Elle multiplie les subtilités.
Tous les coups de brosse vont
  de haut en bas.
La moindre ligne horizontale
  devient miroir.

The rain is so revealing.
It creates a harmony.
It increases the subtilities which
  abound.
We appear to be looking forward
  through a brush.
And we look down upon lengthy
  mirrors
  stretched out before us.

Pluie sur les Remparts,
24 x 30, Coll. M. Jean-Louis Racine, Québec

37

La série de tableaux que Rémi Clark a exécutés au cours des trois dernières années, précisément de 1986 à 1989, et groupés sous le titre de *À l'ombre d'un Château*, pose un jalon sur le parcours de sa carrière.

Rémi Clark est avant tout un peintre régionaliste qui sait exprimer l'œuvre du soleil, dans des scènes constamment renouvelées. Son dessin est solide, ses couleurs justes dans leur sobriété et l'harmonie qui les rassemble n'achoppe sur aucun ton faux. Qu'il s'agisse de faire descendre du soleil sur les toits de cuivre patiné du Château Frontenac ou sur ses murs percés de fenêtres, qu'il s'agisse d'allonger dans la rue une ombre endormie, il sait incarner le silence des vieilles choses pour faire mieux apparaître le va-et-vient des gens qu'il dispose intelligemment dans ses plans. Le tout révèle une sensibilité créatrice d'atmosphères nostalgiques, que son pinceau rend sans impatience, dans une pâte lisse, opaque ou transparente.

The series of paintings performed by Rémi Clark during the past three years, from 1986 to 1989 to be exact, have been brought together under the heading *À l'ombre d'un Château*, leaving a blazing trail in the course of his career.

Rémi Clark is above all a painter who is concerned with a particular region and who knows how to capture the effects of the sun in scenes constantly renewed. His lines are precise, his colours accurate in their sobriety, and the harmony of the composition leaves no room for error. Whether it be to bring the sun down over the ancient copper roof of the Château Frontenac, or on its great walls perforated by windows, he knows how to convincingly portray the silence of things that are old in order to better bring out the hustle and bustle of the people that he so intelligently displays in his drawings. The whole reveals a creative sensibility, which his paint brush renders with no intolerance, in a smooth opaque or transparent paste.

Dans le calme de son atelier, devant son chevalet, à la poursuite du rêve qui l'envahit, Rémi Clark sonde tous les moyens pour atteindre le Beau qu'il voit autour de lui. Sa constance au travail se traduit par des œuvres qu'il ne livre au public qu'après un choix judicieux. Tout ce qu'il fait doit être bien fait. L'idéal qu'il poursuit ne souffre pas de compromis avec une facilité irréfléchie, un laisser-aller où le nombre des sujets réalisés engendre plus de défauts que de qualités.

Ses quelque vingt ans de métier lui ont apporté l'assurance du succès. Son style, fruit d'une technique qu'il a inventée, lui ouvre une voie qui, sans aucun doute, se prolongera dans son avenir de peintre réaliste et ajoutera un fleuron à notre culture.

Paul Brien

In the quiet of his workshop, before his easel, in the pursuit of a dream that invades his being, Rémi Clark probes all possible means to reach the beauty surrounding him. His perseverance translates itself into the paintings that he only shows to the public after making a careful and discerning choice. Everything he does must be well done. The ideal that he pursues does not stand for any compromise, or an easy way out, where the number of subjects done generates more faults than qualities.

His some twenty years experience in the trade has brought him assurance and success. His style, the fruit of a technique that he developed, has opened new horizons to him, vistas that will no doubt extend into his future as a Realist-Painter and will add another masterpiece to our culture.

Paul Brien

Nostalgie d'un été en fleurs
La neige qui tombe en douceur.

The quietly falling snow
evokes a nostalgia for
the flowers of summer.

Douce nostalgie,
24 x 30, Coll. M. Mme Jean Fournier, Sainte-Foy

40

Lorsque je marche sous
  la pluie, je regarde le pavé.
Vous aussi je crois.

**How carefully I watch
  the street
    when I walk in the rain!
You too, I imagine!**

Symphonie de la pluie sur Québec,
36 x 48, Coll. M. Marc Laurin, Montréal

*Tout au bout de l'Ile
Sainte-Pétronille a pour
préférence de toutes
ses richesses, une vue sur Québec.*

**From the far end of the Island,
Sainte-Pétronille offers us one
of its greatest treasures:
a view of Quebec City.**

De la pointe de Sainte-Pétronille,
24 x 30, Coll. M. Berchmans Rioux, Minot,
North Dakota, É.-U.

44

Le plus beau
C'est l'arrivée à Québec
par bateau.

What can be more wonderful
than to arrive at Quebec
by boat.

Quand l'Amérique se prétend belle,
24 x 30, Coll. M. Mme Patrice Dionne, Québec

45

Grosse journée
Pour Minou

De mémoire d'homme
  jamais personne ne s'est
  cassé le cou.
Il est vrai qu'avec un
  nom semblable,
  on y porte attention.

For as long as I remember
  no one has ever been hurt
  on that perilous stairway.
And yet with such a forbidding
  appearance,
We tend to be even more careful.

L'escalier Casse-Cou,
24 x 30, Coll. M. Mme David Stripling, Dallas,
Texas, É.-U.

Mère supérieure
et ses couventines.

Mother Superior
watching over her brood.

Rue du Parloir – Les Ursulines,
24 x 30, Coll. M. Jean Bérubé et Mme Danielle Tremblay

Il aime se promener,
après le souper,
à l'instant où la lumière
des fenêtres et des réverbères
gagne d'intensité sur
l'astre du jour.

He enjoys his solitary walk
after supper when the lights
from the windows and the street
lamps
take over from the natural light
of day.

Entre chien et loup,
24 x 30, Coll. M. Steve Welch, Beauport

50

Chaque soir ils y revenaient.
C'était au temps des écuries
du Faubourg.

At day's end, it is so pleasant
to return to the stables.

L'écurie du Faubourg,
24 x 30, Coll. M. Erick Hamel, Sherbrooke

Certains m'ont reproché
  de ne pas avoir été conforme
  au costume.
La raison est simple
Je les ai toujours imaginées
  ainsi
Voile au vent.

In spite of the modern trend,
  who can imagine the nuns
  without their traditional habits?
Not me!

Cinq voiles qui volaient,
24 x 30, Coll. M. Mme George Suskauer, Long Beach,
New York, É.-U.

C'est beau la pluie
Sous le parapluie.

What can be more comfortable
than a nice walk
under an umbrella!

Malgré la pluie,
24 x 30, Coll. M. Mme Roland Collette, Québec

Son nom est Minou.
Je sais, ça manque de classe
  et d'originalité.
Mais même les inconnus
  l'interpellent par son nom.

Her name is Kitty!
And despite this lack
  of originality,
  even a stranger can call her
  by her right name.

Triumvirat sur le toit,
24 x 30, Coll. Mme Monique Gingras, Brossard

54

*Dans la rue
les hors-jeux sont
plus fréquents.*

**Who has not enjoyed
those ever-present
street games
in the snow?**

Hockey bottines sur Sault-au-Matelot,
24 x 30, Coll. M. Mme William J. Martin, Thornhill,
Ontario

55

Lundi, c'est l'hebdo oral.
La nouvelle circule au gré du vent.
Ça bat tous les tirages
  du Québec Matin.

The wash starts the week!
And everywhere the air
  is filled with the fluttering
  of white wings of cleanliness.

Jour de lessive à Québec,
24 x 30, Coll. M. Mme George Suskauer, Long Beach,
New York, É.-U.

56

Elles se dirigent vers la jonction
  de la Fabrique et Sainte-Famille.
C'est là qu'elles prennent
  l'autobus.
Les gars du Séminaire aussi.

**Schoolgirls heading for the bus
  stop
  on the corner of Sainte-Famille &
  de la Fabrique.
There to be joined by the boys
  from the Seminary.**

Les couventines,
24 x 30, Coll. M. Mme Robert Ghatan, San Marino,
California, É.-U.

Tous les matins de la semaine,
l'attaché-case à la main,
dans lequel ils logent des dossiers
en cours, le journal du matin et,
pour plusieurs: le goûter du midi.

We see them every morning,
fingers gripping brief-cases
wherein case histories or
newspapers are stashed.
Often even their noon meal
is tucked away there.

Beau temps, mauvais temps,
24 x 30, Coll. M. Mme Bernard Dufour, Saint-Bruno

Montez sur le toit!
Quelquefois on a
  l'impression d'être au
  bout d'un jardin.

**Even up there on the roof,
  we often feel we are
  in our own private garden.**

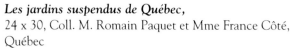

Les jardins suspendus de Québec,
24 x 30, Coll. M. Romain Paquet et Mme France Côté,
Québec

J'ai conduit trois groupes
  de Japonais ce matin.
Hier, moi j'en ai eu cinq.
Moi également, j'en ai conduit
  plusieurs cette semaine.
Ils sont gentils.
« Sayonara ! »

**« This morning I drove three
  groups of Japanese tourists. »
Yesterday, I had five. »
Me too, I've had
  several groups this week. »
It's a pleasure
  to show them our city.
« Sayonara ! »**

Les calèchiers de la rue d'Auteuil,
24 x 30, Coll. M. Richard Wagner et Mme Louise Piché,
Ottawa, Ontario

60

Si vous avez marché sur
  la Citadelle,
  vous connaissez bien ce sentier.
Il mène à la Terrasse.
Si vous vous y arrêtez,
  il mène à l'immensité.

Along the path around the
  Citadel
  which leads to the Terrace.
This is the route which
  reveals
  the grandeur of the site
  to each and every one of us.

Québec, vue de la Citadelle,
24 x 30, Coll. M. Mme Yves Poulin, Sainte-Foy

61

J'aime bien me promener
  dans le Faubourg avec
  grand-père.
Il a tellement de
  choses à raconter.

One of my great pleasures
  is a walk with my grand-father.
He has so many wonderful stories
  to tell me.

Mon grand-père vit dans le Faubourg,
24 x 30, Coll. M. Mme Frank De Michele Jr., Pennsauken,
New Jersey, É.-U.

Les pas craquent.
Les lumières bougent.
L'air sent la vanille.
Le vent caresse nos visages.
Si vous sortez la langue,
Ça goûte le froid.

Our footsteps crack the snow.
The lights dance in the
  distance.
The air smells ever so clean.
The wind caresses our cheeks.
And you can taste the cold
  on the tip of your tongue.

Tombe la neige,
24 x 30, Coll. M. Mme Jeffrey Frimet, Westbury,
New York, É.-U.

63

*En sautillant
elle monte jusqu'au ciel.*

**Jump, jump, jump!
Up to the sky.**

Quand elles jouent à la marelle,
24 x 30, Coll. M. Pierre-Paul Dufour
et Mme Martine Jean, Charlesbourg

64

C'est son coin préféré.
À l'ombre des arbres
  et du Château.

A preferred corner, hidden away.
In the shadow of a chateau.

À l'ombre du Château,
36 x 48, Coll. Mme Jacynthe Ménard et M. René
Baillargeon, Baie-Saint-Paul

J'y allais tous les dimanches
Les filles étaient belles
   et souriantes.
Comme à Vienne,
On y allait pour valser.

Here we come every Sunday
   to enjoy the smiling faces,
   and as in Vienna
   to waltz away the day.

L'Esplanade,
24 x 30, Coll. Mme Ginette Desrochers, Chomedey

Le soleil prend des
 rendez-vous avec le
 printemps.
Une calèche revient de
 l'atelier de réparation.
Un gros été est prévu.

The sun slowly returns
 to its springtime position.
A horsedrawn carriage returns
 from the winter repair shop.
A good summer is expected.

Hors saison,
24 x 30, Coll. M. Guy De Noncourt

Son premier public.
Elle s'en souviendra
  toute sa vie.

Her first audience.
And one never to be forgotten!

Ces enfants de ma ville,
24 x 30, Coll. M. Stephen Houghton, Cambridge, Ontario

La première neige
Vient surprendre les
  dernières feuilles d'automne.
C'est un bon moment
  pour offrir des fleurs.

The first snow has overtaken
  the last leaves of autumn.
A good time to bring
  flowers to a loved one.

Automne, hiver... et des fleurs,
24 x 36, Coll. M. Mme René Levesque, Saint-Nicolas

Sur la rue il y a trois chats
L'un est noir
L'autre est noir et blanc
Le troisième est noir et blanc
  tacheté de roux.

Three little cats in the street.
One is black.
Another is black and white.
And a third, black and white
  with touches of rust.

Rue St-Denis,
24 x 30, Coll. Mme Michèle Soucy et M. Mario Zummo,
Kirkland

Samedi matin.
Il a neigé toute la nuit.
C'est l'occasion de fraterniser.
À midi rien n'y paraîtra plus.

One Saturday morning
  after a night of falling snow,
  stop and enjoy each other's
  company
  for by noon nothing will be left.

Au lendemain d'une tempête, rue Champlain,
30 x 36, Coll. Dr Réjean Labrie et Dr Lise Garon, Charny

71

Au début je n'y avais pas pensé.
Lui les a reconnus sans hésiter.
«Mais... c'est Mylène, Claudine
  et Jérôme!»
Vous avez sans doute
  reconnu le père.

At first I didn't even think
  and he recognized them without
  hesitation!
Why, it's Mylène, Claudine and
  Jérôme!
Needless to say
  you recognized the father.

Mylène, Claudine et Jérôme,
24 x 30, Coll. Mme Doris et M. Mario Gosselin, Charny

72

Sur les hautes terres
  de Sainte-Pétronille,
  il y avait un troupeau
  de moutons.
J'ai imaginé leur retour
  au bercail.
Que voulez-vous…
Je suis un romantique.

On the highlands
  of Sainte-Pétronille
  there was a flock of sheep.
I could just imagine
  their return to the fold.
But what can you expect…
I'm a born romantic!

Les bergères de l'Ile,
24 x 30, Coll. M. Lionel Dupuis, Acton-Vale

73

Seul monument connu
  au monde
  érigé en l'honneur
  du Vainqueur et
  du Vaincu.

The only monument
  in the world
  erected in honour of the victor
  and the vanquished.

Sans se soucier du vainqueur et du vaincu,
24 x 30, Coll. M. Jean Emond, Québec

C'est mon parc préféré.
J'aime y passer quand
  je vais à la Place d'Armes.
De là, on peut voir le profil
  bleuté de l'Ile d'Orléans
  jusqu'aux montagnes
  de Charlevoix.

My favourite park.
I always pass through it
  on my way to the Place
  d'Armes.
From its vantage point
  we can oversee the bluish
  tinge
  of the Island of Orleans
  and beyond up as far as
  the mountains
  of Charlevoix.

En haut des Gouverneurs,
24 x 36, Coll. M. le Ministre Marc-Yvan Côté
et Mme Renée Côté, Charlesbourg

De la terrasse
  du haut des corniches,
On surveille sa venue.
Juste en face de la
  maison Chevalier.

**From the Terrace on the high
  mountain ledge,
We overlook the cliff
  in front of the maison
  Chevalier.**

La vieille dame aux oiseaux,
24 x 30, Coll. Mme Aline et M. Louis P. Huot, Cap-Rouge

Il fait bon
y flâner.

It is sometimes so nice
to idle away the time.

Dans les jardins de l'Hôtel de ville,
24 x 30, Coll. M. Denis Lachance, Montréal

Un soir de «sleigh-ride».
Il y avait Claude & Catherine,
  Jean & Lucie, Roger & Nicole,
  Michel & Renée ainsi que
  Claire et moi.
Ça fait près de 30 ans déjà.

An evening sleigh-ride.
Everyone was there: Claude &
  Catherine, Jean & Lucie, Roger
  & Nicole, Michel & Renée
  as well as Claire and myself.
But that has already been
  30 years.

Au temps des carrioles,
24 x 30, Coll. M. Claude Laliberté, Saint-Augustin

78

*Si vous n'avez jamais
glissé sur les plaines,
c'est que vous n'êtes
pas de Québec.*

**If you have never been sliding
on the Plains of Abraham, then
you can't be from Quebec City.**

Au lendemain d'une tempête,
24 x 30, Coll. M. André Gravel, Québec

79

*C'est comme si Québec
nous était servie
sur glace.*

**It's as if Quebec
were served up to us
on a platter of ice.**

La traversée,
24 x 36, Coll. Mme Allison B. et M. Dennis Scott Hudak,
Bethlehem, Pennsylvania, É.-U.

C'est l'endroit de prédilection
  pour la promenade à Québec.

**For a walk in Quebec
  we tend to be partial
  to this magnificent site.**

Promenade d'hiver sur la terrasse,
24 x 30, Coll. M. Richard Gosselin, Vimont

*Aujourd'hui le pavé est
  sur la glace bleue.
Attention de glisser.*

**Today the sidewalks are a sheet of
  ice!
Be careful not to slip!**

L'hiver, rue Ste-Geneviève,
24 x 30, Coll. M. Mme Léonard Savoie, Sillery

*Ce serait tellement plus
  pratique avec un pont.
À tout ceux-là je dis…
«Allez prendre une marche
  près des ponts, vous m'en
  donnerez des nouvelles.»*

**So many people praise
  the practicality of bridges.
To them, I say…
«Take a walk
  near a bridge and then tell me
  what you think.»**

Le vieux Lévis,
24 x 30, Coll. M. Claude Hallé, Charlesbourg

*Ça donne envie
d'être fonctionnaire.*

**What a marvelous place
to keep in shape!**

Club des employés civils,
36 x 48, Coll. Mme Jacynthe Ménard et M. René
Baillargeon, Baie-Saint-Paul

C'est le chemin que
  j'emprunte pour aller
  à la Galerie.

**Along the way to the
  Galerie Le Chien D'Or!**

Dans le coin du Chien D'Or,
30 x 36, Coll. M. Jacques Champagne, Québec

Ce balcon donne
  sur un bureau de courtiers.
Il était couvert de neige.
Je m'y suis donc planté
  et sur mon croquis j'y ai ajouté
  une pelle à neige,
  un homme encore émerveillé
  et une mangeoire pour les
  oiseaux.

From this little balcony
  covered with snow,
I view my city.
There I stand and to the scene
I add a snow shovel,
  a contented figure
  and a feeding station
  for the birds.

Au sommet du passage,
30 x 36, Coll. Me Jean-Pierre Cantin, Lac-Beauport

86

Dans sa chanson
George Dor a dit:
«Le vent du Nord
Le vent qui mord.
Le vent qui défait tes cheveux.»
Que puis-je dire de mieux?

**Those northen winds,
biting at us as we pass,
attacking our very being!
Nothing more can be said of it!**

Le vent du Nord,
30 x 36, Coll. Mme Nicole Ouellet et M. André Lavallée,
Saint-Nicolas

87

Elle est accrochée
  au beau milieu de
  la Côte du Passage.
Comme un nid
  à flanc de montagne.

Perched on a hilltop like an eagle's
  nest,
  overlooking the old city
  from its vantage point
  on the opposite shore!

Ils demeurent en face du Cap-aux-Diamants,
24 x 48, Coll. Grondin, Poudrier, Bernier, Avocats,
Québec

Guy Lafleur demeurait
au bout de la ruelle
chez madame Baribeau.

**Guy Lafleur lived at
the end of the street
at Madame Baribeau's!**

La soirée du hockey,
36 x 48, Coll. M. H. Solomon, Montréal

Dès le matin,
  il faut dégager les escaliers
  avant que la glace se forme.

Early in the morning,
  the stairs must be swept clean
  before the ice forms!

Vie de quartier à Limoilou,
30 x 36, Coll. Mme Lysette Martin, Québec

Elle s'habille de blanc
  cinq mois par année.
C'est beaucoup,
  mais elle le porte
  tellement bien.

Although my city is covered
  in white
for five long months of the year,
the colour suits her well.

Dimanche après-midi, rue Haldimand,
36 x 48, Coll. M. Mme D. Farndale, Port Perry, Ontario

91

*Le rond-point
du premier quartier
d'Amérique.*

**The central point
of the oldest residential district
in America.**

Une belle page d'histoire,
30 x 36, Coll. M. Guy Boudreault et Mme Carole Dorval,
Boucherville

*Je ne sais pas quel
est le plus long
escalier du Canada.
Celui du Cap-Blanc
doit le suivre de très
près.*

**I don't know what is
the
longest staircase
in Canada.
But the one at
Cap-Blanc
must be in the
running!**

L'ascension du Cap-Blanc,
24 x 48, Coll. privée, Québec

On dirait que les
vagues hibernent
avec les bateaux.

It would seem that
the waves hibernate
as do the boats.

Sur une mer de glace,
24 x 48, Coll. M. Mme Morisset, Sillery

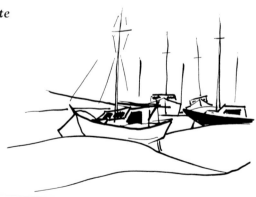

Sous la pluie, on a peine
  à distinguer la rive sud.
Elle se confond avec les
  formes du ciel.
Ça donne l'impression
  de flotter dans l'espace
  avec le Parc pour vaisseau.

We can barely see the south
  shore through the rain.
It blends in so well
  with the sky above.
One has the impression of floating
  in space with the little park
  as our ship.

Il pleut sur le parc des Gouverneurs,
24 x 36, Coll. M. Jean Côté, Montréal

C'était le meilleur
 chemin pour s'en
 retourner au Petit
 Champlain ou dans
 le quartier du Vieux-Port.

**This is the best route
 to Lower Town streets
 of the Petit Champlain or
 of the Old Port.**

Retour des glissades,
24 x 36, Coll. Mme Ginette et M. Noël Michaud, Val-Bélair